NO
FAT

Conception et réalisation : GRAPH'M

ISBN : 2-7528-0047-9
Code éditeur : T00047

Dépôt légal : septembre 2004
Imprimé à Singapour par Tien Wah Press

www.fitwaypublishing.com
Fitway Publishing
12, avenue d'Italie – 75627 Paris cedex 13

NO FAT

dominique thibaud
illustrations stanislas mercier

fitway publishing

NO
FAT

Sommaire

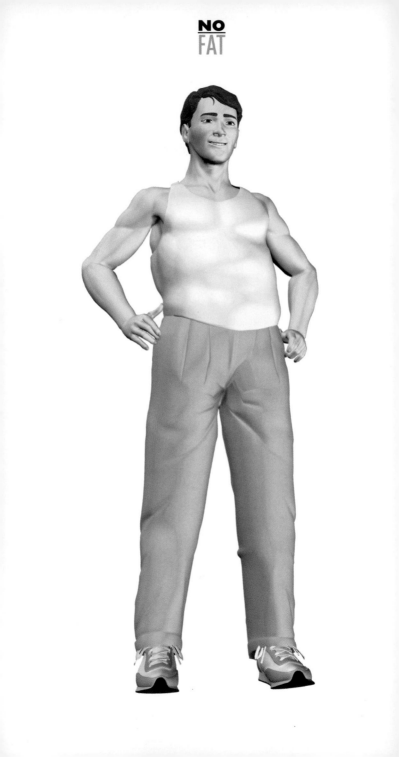

Les objectifs du guide

« Je commence à avoir du ventre, j'ai du mal à rentrer dans mes jeans, je suis essoufflé dès que je cours, je passe tellement de temps à travailler devant mon ordinateur que je me sens raide de partout et mon buste penche en avant, je prends 1 kilo de plus chaque année, je n'ai plus de taille… »

Eh oui, les hommes grossissent eux aussi et constatent que leur corps se modifie, et ça vient vite ! À l'exception de quelques heureux individus atypiques qui peuvent tout se permettre, les kilos et la graisse s'accumulent avec les années. Cadres, employés de bureau, hommes d'affaires, étudiants, commerciaux, informaticiens, serveurs, profs, ouvriers, quels que soient votre nationalité et votre métier, messieurs, vous êtes tous concernés ! Certes, les années sont responsables de la prise de poids, parfois aussi les facteurs génétiques, mais surtout les mauvaises habitudes alimentaires et le manque d'exercice. Il n'est jamais trop tard pour changer de comportement, quels que soient son âge et son mode de vie, à condition d'avoir un minimum de volonté et une vraie motivation.

Le guide que vous avez entre les mains va vous y aider en vous donnant quelques clés pour ne pas grossir et rester en forme. Ici, pas de régime miracle ou délirant, c'est le bon sens qui prédomine : être

à l'écoute de son corps et rester serein devant son assiette. Attention, cet ouvrage n'est toutefois pas destiné aux personnes obèses, en surpoids important ou présentant des pathologies sévères qui nécessitent une prise en charge personnalisée par un spécialiste.

Mais, avant de commencer votre lecture, posez-vous ces 3 questions :

Quel est mon poids actuel ?

Quel est le poids que je souhaite atteindre pour me sentir bien ?

Suis-je prêt à modifier mes habitudes pour changer d'allure ?

Si vous avez répondu à ces questions sans trop de grimaces, vous pouvez y aller ! Si vous ne vous sentez pas prêt, regardez au moins les exercices proposés, vous verrez, ils sont simples… Enfin, si ça ne vous dit rien, offrez cet ouvrage à votre meilleur ami, votre frère, votre père ou votre patron… Mais ce serait dommage pour vous !

NO fat vous propose une sélection de conseils pratiques et de recommandations aisément applicables dans la vie quotidienne, qui tendent à démontrer aux hommes que prendre en charge son corps et son alimentation n'est pas forcément contraignant ni frustrant. Si vous mettez en pratique ce qui vous est proposé ici, les résultats se feront vite sentir et vous ne pourrez plus vous en passer !

NO FAT

Cet ouvrage s'adresse aux hommes désireux de perdre quelques kilos et de stabiliser leur poids sans trop de souffrances ni de privations. Parmi vous, il y a ceux qui ont bien l'intention de rester minces et sveltes, et ceux qui doivent perdre absolument ces 3 à 8 kilos de graisse insidieuse qu'ils n'ont pas vu venir...

« Rester mince » et « Mincir absolument » sont donc les deux grands chapitres du guide, toujours traités sous l'angle de la nutrition et de l'activité physique, avec des témoignages vécus, des conseils pour vous accompagner, un programme d'exercices spécifiques pour tonifier et muscler votre corps.

Les conseils d'experts sont délivrés par deux spécialistes : Gil Amsallem, kinésithérapeute, coach de sportifs de haut niveau et de managers, spécialiste de la mise en forme et de la vitalité, fondateur et directeur de Vital Team, un centre de vitalité, d'énergie et de remise en forme réputé à Paris ; et le Dr Patrick Serog, médecin nutritionniste, directeur scientifique de Dietecom, important congrès de nutrition en France.

NO
FAT

RESTER
MINCE

en forme
sans
les formes

TÉMOIGNAGE

Michael, 25 ans

« *Dans la semaine, je n'ai pas le temps de manger, je saute des repas. Les sandwichs et les fast-food sont ma principale nourriture. Je fais régulièrement du squash qui me fait transpirer et, le week-end, je pratique des sports extrêmes. Le sport, ça fait maigrir, non ? Cette année, je n'ai pris que 2 kilos, ça ne s'appelle pas grossir, ce n'est rien… »*

Pour être bien dans son corps, il faut le faire bouger et le nourrir avec une alimentation variée et équilibrée.

NO
FAT

TÉMOIGNAGE

Yann, 31 ans

« Avant, je ne faisais pas
attention à mon poids,
j'avais l'impression d'être
invincible, et puis on est
mince dans la famille !
Je sors beaucoup, au
restaurant, en boîte, mais
maintenant, dès que je bois
trop, que je mange trop,
je prends rapidement 2 ou
3 kilos dans les semaines
qui suivent. Je connais mon
poids de forme et, pour
tenter de le retrouver après
ces excès, c'est chaque fois
plus douloureux. J'aimerais
pouvoir faire des exercices
simples et efficaces, chez
moi, pas trop longtemps.
J'aimerais trouver le rythme
qui me convient, je fais
un peu tout et n'importe
quoi. »

Tout comme Michael ou Yann, les modifications de votre corps vous préoccupent, même si elles restent encore imperceptibles pour votre entourage. Pour rester mince, il faut surveiller son poids ! Logique, non ? Pour vous aider à le stabiliser sans que cela tourne pour vous à l'obsession, voici des règles incontournables à suivre qui vous permettront de concilier votre mode de vie avec le plaisir de bien manger et de faire du sport.

1 Adopter la bonne attitude… alimentaire

✓ Bien se nourrir n'est pas si compliqué

Il suffit de connaître les principes de base d'une alimentation équilibrée. Les bonnes habitudes alimentaires consistent à manger, toujours en quantité raisonnable :

- des céréales (pain, pâtes, riz), des pommes de terre ou des légumes secs à chaque repas et selon son appétit, en favorisant les céréales complètes,
- du lait ou des laitages (yaourts, fromages) 3 fois par jour,
- au moins 5 fruits et légumes par jour (crus, cuits, nature ou préparés), à chaque repas et en cas de petit creux,
- de la viande, du poisson (impérativement 2 fois par semaine) ou des œufs, 1 à 2 fois par jour, en quantité moindre que l'accompagnement,
- des matières grasses en petite quantité, en privilégiant celles d'origine végétale (huile d'olive, de colza) et en limitant celles d'origine animale (beurre, crème),
- en quantité limitée, des produits sucrés (confiseries, boissons sucrées, barres chocolatées).

Attention surtout aux aliments à la fois gras et sucrés. Un apport excessif de produits sucrés incite l'organisme à transformer ce sucre en graisses, qui sont ensuite stockées dans les cellules adipeuses, responsables du surpoids.

Vous pouvez boire de l'eau à volonté au cours et en dehors des repas. Il est recommandé de limiter les boissons sucrées et de privilégier les *light*. Quant aux boissons alcoolisées, il est impératif de ne pas dépasser 3 verres de vin de 10 cl par jour (équivalents à 2 demis de bière ou 6 cl d'alcool fort), sinon bonjour les dégâts !

✓ Il faut manger de tout en quantité raisonnable

Vous devez puiser, au cours des repas, dans chacun des groupes d'aliments qui apportent tous les nutriments nécessaires à votre organisme. Comme il est difficile de calculer l'apport de chaque type de nutriments, le plus simple est de s'appuyer sur la variété et la quantité. Si vous consommez trop de graisses et de sucres tout en étant sédentaire, vous allez grossir, vous ne pouvez y échapper.

Quantités raisonnables par jour pour un adulte

- 140 à 150 g de viande
- 150 à 200 g de poisson (selon qu'il est maigre ou gras)
- 200 g de féculents
- 60 g de pain
- 400 g de légumes et de fruits
- 3 laitages

L'avis du nutritionniste

« Ces quantités sont valables quelle que soit la taille de l'individu, car c'est son métabolisme qui compte : il y a des petits qui 'carburent' un maximum et des grands qui vont lentement. En revanche, quand on a beaucoup de muscles, il vaut mieux manger un peu plus de protéines pour entretenir sa masse musculaire. Selon les pays, les portions ne sont pas les mêmes : aux États-Unis, on consomme 300 g de viande en moyenne, alors que 130 à 150 g suffisent amplement à un individu adulte. »

Mince alors ! La taille des portions est différente d'un pays à l'autre

Pourquoi les Français qui consomment de la nourriture agréable au goût, plus riche en graisses, et moins de produits allégés sont-ils plus minces que les Américains ? D'après une étude franco-américaine, une partie de la réponse se trouverait dans la taille des portions.

- La portion moyenne servie dans un restaurant à Paris est de 277 g contre 346 g à Philadelphie, soit 25 % de plus.
- Les portions de frites moyennes d'une même chaîne de fast-food sont de 90 g en France contre 155 g à Philadelphie.
- Les portions sont aussi plus grandes dans les supermarchés : à denrée équivalente, le poids est jusqu'à 60 % plus élevé dans la version américaine.

Les Français mangent moins, mais ils passent plus de temps à table, même au fast-food : 22 minutes contre 14 pour les Américains !

*(**source** : Nutrinews n° 138)*

✓ Stop à la « malbouffe »

Il est impératif de faire de vrais repas, soit 2 repas complets par jour, avec une répartition équilibrée en protéines, glucides et lipides. Le petit déjeuner est recommandé mais pas obligatoire chez les hommes, tout dépend de votre appétit le matin.

NO
FAT

Quelques équivalences
Protéines

- 100 g de viande rouge maigre = 150 g de poisson maigre = 100 g de jambon blanc = 2 œufs = 200 g de fromage blanc à 0 %.
- 30 g de fromage à 45 % de matière grasse = 1 yaourt nature = 200 ml de lait à 0 %.

Glucides

- Féculents : 100 g de pomme de terre = 40 g de pain = 100 g de légumes verts + 25 g de pain.
- Fruits : 100 g de pomme = 300 g de melon = 60 g de banane.

Lipides

- 10 g d'huile (1 cuillerée à soupe) = 30 g de crème fraîche = 15 g de beurre = 1 cuillerée et demie de mayonnaise.

L'avis du nutritionniste

« La tendance sociologique est de contracter les repas. Prendre un plat et un café, c'est une mauvaise habitude : après ce repas insuffisant, on aura tendance à avoir encore plus ou moins faim. Alors, pour compenser, on va se mettre à grignoter n'importe quoi. Conséquences : déséquilibre alimentaire et prise de poids. S'obliger à manger de vrais repas, avec une entrée (facultative), un plat principal, un laitage et un dessert n'est pas toujours facile. Le paradoxe est là : si l'on mange suffisamment pendant le repas, on a de moins en moins faim et, petit à petit, l'estomac est moins dilaté. Par ailleurs, les stimulations brutales des centres de la faim dans le cerveau disparaissent…
Il n'y a pas de mauvais aliments, tout dépend de la façon dont on les consomme et dont on structure ses repas. »

✓ Sandwich et fast-food

Dans la semaine, si vous êtes abonné au sandwich, il faut le choisir au thon, au jambon ou au poulet, en évitant la mayonnaise, et l'associer à un laitage et à un fruit pour composer un repas équilibré. Le sandwich est toujours accusé d'être l'aliment le plus néfaste ; quand on grossit, on pense que c'est dû au fait d'avoir pris 5 fois dans la semaine des sandwiches. Or c'est faux, parce qu'on ne se rend pas compte des erreurs faites dans les autres repas. Une semaine comportant 14 repas, il reste 9 autres occasions de mal manger ! Il n'empêche, 5 sandwiches, c'est beaucoup !

Si vous ne pouvez échapper à l'alimentation rapide, il faut essayer d'alterner dans votre semaine sandwich et fast-food, ce dernier n'étant pas forcément mauvais à condition d'équilibrer son menu. Par exemple, si vous prenez un hamburger simple ou un cheeseburger, une salade avec un demi-sachet de sauce, un yaourt et une salade de fruits, vous aurez un repas complet. *Idem* avec deux salades, l'une aux crevettes, l'autre au poulet, avec un sachet de sauce, un yaourt et une salade de fruits.

Au restaurant chinois, prenez un rouleau de printemps, des brochettes de crevettes, de poulet ou de bœuf, un riz blanc. Au japonais, les sushis sont recommandés, sans oublier laitages et fruits.

Le tout est d'organiser vos repas en fonction des besoins de votre corps, de votre activité professionnelle, mais aussi de votre envie de vous faire plaisir.

NO
FAT

TÉMOIGNAGE

Le truc d'Alain, 45 ans

« À table, je prends toujours un peu de tout mais sans excès, et je bois très peu de vin. Comme, pour moi, un repas n'est pas une fin en soi mais un passage obligé, je ne mange pas outre mesure, je ne me ressers pas et ne choisis jamais de plats lourds. Je fais attention à la qualité des produits que je mange en petites quantités. Je ne me prive pas pour autant, j'adore faire de bons repas gastronomiques. Même si j'ai la chance de faire partie des minces, je n'oublie jamais cette obligation de se surveiller avec l'âge. Je ne me force pas à faire attention, c'est devenu une seconde nature, parce que je sais que si je prends 2 ou 3 kilos, je ne me sentirai pas bien, pas en forme. Ce n'est pas contraignant. C'est une façon d'être, de vivre. Ne pas se laisser aller physiquement, pour soi, pour ses proches, c'est important. Pour cela, il faut entretenir la mécanique. Je surveille également mon poids en pratiquant du sport. Je ne cherche pas la performance, mais plutôt à me faire plaisir en fonction de mes capacités physiques. Et ça marche ! »

Le corps est conçu, mécaniquement et physiologiquement, pour bouger, et plus on s'en sert, mieux il va !

2 Pratiquer une activité sportive

Le sport ne vous fera pas maigrir, mais vous aidera à stabiliser votre poids, quelle que soit l'activité que vous choisissez. Il faudrait en effet courir 60 heures non-stop, à un rythme de croisière de 10 km/h, pour perdre 1 kilo de graisse !

L'avis du nutritionniste

« Maigrir, c'est perdre de la masse grasse ; si on augmente son activité physique, on augmente sa masse musculaire. On peut perdre de la masse grasse sans que le poids baisse, parce que ce sont les muscles, en se développant, qui deviennent plus lourds. On peut donc maigrir sans perdre de poids mais avec la satisfaction de devenir plus mince, avec une taille plus fine et le plaisir de rentrer à nouveau dans ses vêtements. Un minimum d'exercice physique au quotidien est indispensable pour réaliser un bon équilibre entre vos dépenses énergétiques et vos apports caloriques. Pratiquer un sport au quotidien, à votre rythme, ne demande pas une alimentation spécifique, à l'inverse du sport de compétition. Il faut surtout penser à boire avant, pendant et après l'effort. »

✓ **Quel sport choisir ?**

Le conseil du coach

« Dans le corps, tout est malléable, transformable, vous pouvez tout travailler : la force, l'endurance, la souplesse, la mobilité, la coordination, la vitesse, en cours collectif ou individuel, chez vous, en salle de gym ou en extérieur, mais, dans tous les cas, c'est la répétition et l'entraînement qui vous permettront de constater les modifications de votre silhouette. Simplement, il faut travailler votre corps avec justesse et le pousser de temps en temps pour le 'décrasser'. Aux séances de musculation en salle ou chez soi, quand on est jeune, on peut combiner des sports collectifs (football, volley) et/ou des arts martiaux (judo, karaté, qi gong). Attention au squash ! À pratiquer seulement si votre condition physique est excellente, sinon c'est l'asphyxie des poumons qui se mettront à 'cracher' ! Préférez des sports moins vifs et violents, comme le badminton qui revient en force ou le ping-pong. L'homme de 40-50 ans peut associer aux séances de musculation et de gymnastique des sports d'endurance comme le jogging, la natation ou le vélo. Faites votre choix selon vos préférences et vos aptitudes, avec toujours l'objectif de vous faire du bien. »

✓ Testez-vous avant l'effort

Il y a des jeunes de 25 ans qui en paraissent 40 et, inversement, des quinquagénaires sveltes et toniques. Aussi, avant de démarrer une activité sportive, faites un état des lieux de votre condition physique. Selon l'âge, les précautions à prendre ne sont pas les mêmes : pour les plus de 40 ans, une visite médicale permet de lever les doutes ; pour les plus jeunes, les examens cardiovasculaires et d'adaptation à l'effort ne sont pas obligatoires, sauf pathologies particulières.

Le conseil du coach

« *Pour tous, il est conseillé de contrôler son pouls avant et après l'effort pour en suivre l'évolution. On constate que les pulsations se modifient avec l'entraînement, parce que plus le cœur travaille, plus il permet l'effort. Le sédentaire, par exemple, qui a un pouls de 70-75 pulsations par minute au repos, le verra passer à 60 après 2 mois de séances régulières, avec la fierté de monter ses 5 étages sans peine !* »

Calculez votre fréquence cardiaque en prenant votre pouls (au poignet ou au cou) pendant 15 secondes, puis multipliez cette valeur par 4 pour obtenir le nombre de pulsations par minute. Le maximum à ne pas dépasser est obtenu par cette soustraction : 220 – votre âge. *Exemple pour un homme de 40 ans : 220 – 40 = 180.* Ce chiffre est donc le maximum, c'est-à-dire la zone rouge à ne pas franchir pendant l'effort au cours duquel le pouls doit rester de 110 à 120-130 pulsations par minute.

NO
FAT

À retenir :
consommez moins de graisses et de sucres,
ayez une activité physique et vous ne prendrez pas de poids, bien au contraire !

Bouge de là !

Une nouvelle race est née : les (jeunes) hommes troncs, la tête dans l'écran de leur ordinateur. Ils sont minces (pour combien de temps encore ?), mais leur buste penche en avant, retombant sur leur ventre. Accros de la micro (informatique), à rester aussi longtemps dans ces mauvaises positions associées bien souvent à une façon de se nourrir tout aussi déséquilibrée, vous vous préparez un avenir douloureux pour votre dos, votre nuque et votre ventre qui va devenir mou et empâté si vous ne faites pas d'exercice ! Si vous n'en avez pas le temps, pratiquez sur place, tout en restant assis, au moins des étirements, une contraction des abdominaux. Toutes les heures, faites également 2 à 5 minutes de redressement : levez les bras, déroulez votre corps pour lui permettre de se repositionner et de ne pas s'affaler complètement, dégagez votre cage thoracique, puis respirez.

TÉMOIGNAGES

Patrick, 48 ans

« En fitness, j'ai remarqué qu'un type bien foutu ça énerve ses copains qui se sont négligés. On te fait des remarques du style 'Tu es en pleine forme !', avec l'air de suggérer que tu ne bosses pas et de te reprocher ta futilité à entretenir ton corps, ou bien que tu vis un enfer monacal pour en arriver là ! Ce qui est loin d'être le cas. Je me fais du bien, et mon corps ne peut plus s'en passer ! »

Yann, 31 ans

« L'hiver, je fais du squash et de la boxe anglaise, 2 fois par semaine pendant 1 h 30. L'été, je préfère les sports de plein air à raison de 3 fois par semaine, je pratique le wakeboard sur la rivière, le roller-blade, tous les sports de glisse. Parce que j'aime ça, mais aussi parce que je fais attention à mon look et que le sport contribue à avoir un corps présentable ! De plus, comme j'ai arrêté de fumer, je suis très motivé pour ne pas grossir, et la pratique quasi quotidienne du sport m'aide beaucoup. »

✓ Comment connaître son poids de forme ?

L'avis du nutritionniste

« Le poids de forme, ou de régulation, est le poids que vous atteignez en mangeant correctement et en faisant du sport, et au-dessous duquel vous ne maigrissez pas. Un poids auquel vous allez vous arrêter spontanément. Il sera différent à chaque âge de votre vie, avec une tendance à monter, c'est inévitable pour la plupart d'entre nous : même en faisant attention, on prend du poids avec l'âge. À chacun de trouver son propre équilibre sur le plan qualitatif et quantitatif. »

Il ne faut pas être, pour autant, obsédé par sa balance. Se peser tous les jours ne sert à rien. Même si votre poids de forme ne correspond pas à l'idéal souhaité, en vous forçant à maigrir, vous serez obligé d'utiliser des moyens restrictifs plus importants, et vous reprendrez du poids aussi vite.

3 Bien construire sa séance d'entraînement

Pour un maximum d'efficacité quelle que soit l'activité physique, votre séance d'entraînement doit toujours être construite en 3 temps : échauffement, plateau d'effort, récupération. Voici les différentes phases pour une séance d'entraînement de 1 heure environ.

✓ Échauffement de 5 à 10 minutes

L'échauffement correspond à une mise en route du corps pour activer toutes ses fonctions : musculaire, articulaire, cardiaque, respiratoire, digestive, mentale… Il est indispensable d'assouplir ses articulations avant de se muscler, il faut préparer ses tendons à l'effort en échauffant par des étirements spécifiques les chevilles, le dos, les genoux…

Le conseil du coach

« À 20-30 ans, c'est vrai, vous avez la capacité de démarrer à froid, mais il ne faut pas en abuser. Rentrer dans l'effort comme une tête brûlée est en principe mauvais, on peut le payer cher. Mieux vaut trouver son rythme, son plaisir. »

✓ Plateau d'effort de 40 à 60 minutes

On construit son travail sur de l'endurance ou des cibles, des groupes de muscles : abdominaux, pectoraux, dos et bras, cuisses et fessiers, jambes… Ne jamais oublier d'expirer à l'effort et de boire par petites gorgées de l'eau avant, pendant ou après, selon ses besoins. S'arrêter en cas de douleur, de fatigue ou de fièvre.

✓ Récupération de 5 à 10 minutes

Pour terminer la séance, se laisser « descendre » et régulariser les rythmes par des étirements, des exercices de relaxation, des respirations profondes et des automassages.

Le conseil du coach

« Quand on a fait une bonne séance, on le sait dans les 10 minutes qui suivent. Le lendemain, on a hâte de recommencer. C'est un véritable 'décrassage' ! On consomme de l'énergie pour en récupérer et on va gagner non seulement en force, en souplesse, en muscles, mais aussi en état d'esprit, en mental. »

Fréquence

Pour se faire du bien là où ça fait mal, la posologie indiquée est de 15 minutes, 3 à 6 fois par semaine, de préférence le matin, ou de 45 minutes à 1 heure, 1 à 2 fois par semaine pour les exercices de tonification. Pour les activités d'endurance (marche, vélo, jogging, natation), 1 h 15, 1 à 2 fois par semaine.

Le conseil du coach

« Si on veut obtenir des résultats en développement musculaire et reconstruction du corps, il faut pratiquer 3 séances hebdomadaires, d'une durée moyenne de 40 à 60 minutes. Au bout de 3 mois de pratique régulière, vous constaterez une transformation visible de votre corps. 1 ou 2 séances par semaine ne suffisent pas. Si on veut réaliser une transformation de son corps, il faut lui en donner les moyens. »

④ 10 exercices pour tonifier et sculpter sa silhouette

Pour se mettre en train et en forme, voici une série d'exercices de musculation que vous a concoctée notre coach : « Un programme de démarrage facile à suivre chez soi ou en salle, qui vise à tonifier et à muscler les 4 groupes basiques : abdominaux, fessiers, pectoraux et bras, dorsaux. »

C'est à vous maintenant : suivez le guide !

✓ 4 exercices pour travailler les abdominaux

➡ 1. Ventre au sol et tête en haut

Allongé sur le dos, les genoux pliés, les pieds à plat sur le sol, les mains soutiennent la tête en se plaçant sous la nuque, les bras sont ouverts.

Soulevez la tête en rentrant le menton qui vient rejoindre le sternum. Maintenez la position de 5 à 10 secondes en respirant calmement et régulièrement **❶**.

Puis, sans forcer sur les mains, décollez la partie haute du dos et maintenez la position de 5 à 10 secondes, tout en conservant la contraction des abdominaux et l'appui des lombaires au sol ❷.

Reposez très lentement les omoplates au sol, mais conservez la tête décollée, bras toujours écartés, et recommencez l'élévation du haut du tronc, stabilisez la position pendant 5 à 10 secondes, redescendez doucement, et ainsi de suite.

❷

Faites 5 à 10 séries de 8 mouvements (sans poser la tête).

➥ 2. Le tampon buvard

En position assise, les genoux fléchis et les pieds à plat au sol. Le dos est droit comme un I, les mains placées sous le creux des genoux.

Cherchez à vous étirer vers le haut, les épaules basses. La respiration est calme, le ventre est contracté par la rentrée du nombril vers les lombaires. Tenez la position 5 secondes ❶.

**NO
FAT**

En expiration, lâchez l'étirement de la colonne
vertébrale, la région lombaire se déroule pour aller
lentement se poser au sol, les mains glissent sur les
cuisses, les abdominaux jouent le rôle de freins ❷.
Tenez la position basse 5 secondes, puis revenez en
position assise.

❷

Faites 5 à 8 séries de 8 répétitions.

➥ 3. La « loco » à jambes

Allongé sur le dos, mains derrière la nuque, tête et partie supérieure des omoplates décollées, menton rentré. Les jambes sont relevées et forment un angle de 90° avec les cuisses qui, elles, forment un angle de 90° avec le tronc. Le ventre amorce déjà la contraction des abdominaux. Réalisez un mouvement alterné dynamique de va-et-vient des genoux vers la tête en veillant à garder l'axe des jambes parallèle au sol.

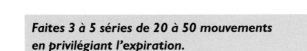

Faites 3 à 5 séries de 20 à 50 mouvements en privilégiant l'expiration.

➡ 4. Sésame, ouvre-toi

Allongé sur le dos, la région lombaire bien posée
au sol, les genoux ramenés sur la poitrine, les mains
posées sur les genoux, la tête bien enroulée,
les omoplates décollées du sol, le corps
se met en boule ❶.

À l'inspiration, tendez et ouvrez les bras et les jambes
en même temps. La tête et les omoplates restent
décollées, les bras s'étirent en arrière et restent dans le
prolongement des oreilles, les jambes ne descendent
pas en dessous de 45° ❷. Tenez la position d'ouverture
entre 5 et 15 secondes tout en respirant, sans relâcher
la contraction des muscles du ventre. Revenez en boule,
récupérez quelques secondes, puis recommencez.

*Faites 5 à 10 séries de 10 à 20 mouvements d'ouverture
et de fermeture du corps avec maintien statique.*

Très facile

Vous pouvez pratiquer l'exercice suivant partout et à
tout moment, en voiture, dans le métro, en regardant
la télévision, au cinéma ou en travaillant devant votre
ordinateur. Il s'agit de se concentrer pour effectuer une
contraction du ventre et de la maintenir tout en respirant.

La méthode

Inspirez naturellement, puis soufflez calmement comme
pour atteindre la flamme d'une bougie située à 1,50 mètre
environ, pour la faire seulement vaciller le plus longtemps
possible – 6, 10, 20 secondes et plus. Cette expiration,
liée aux muscles abdominaux, doit être prolongée, ferme
et tendue vers l'horizon. La contraction, qui permet
le serrage et le rapprochement des muscles abdominaux,
peut être répétée des centaines de fois par jour, en
réalisant l'expiration prolongée et le creusement abdominal.
La seule difficulté est de conserver la contraction du ventre
et de respirer ou de parler naturellement pendant 10, 20
ou 30 secondes.

✓ 3 exercices pour travailler muscles pectoraux, dorsaux et bras
(en salle avec la dorsi-barre)

➡ 1. La traction dorsale

Assis face à la machine, pieds à plat, dos droit. Saisissez la barre de traction des 2 mains, les bras écartés de la largeur des épaules. Le tronc peut être incliné en arrière de façon que l'angle tronc-hanches soit d'environ 45°. Tirez la barre vers le bas, devant vous, jusqu'à la poitrine, les mains au niveau des épaules. Puis revenez à la position de départ progressivement, en contrôlant le retour des bras en l'air. Expirez en descendant la barre et inspirez en la remontant. Gardez un rythme dynamique.

Faites 3 séries de 12 à 15 mouvements avec une charge de 10 à 15 kilos, une traction (aller-retour) en 2 secondes. Puis 3 séries de 8 à 10 mouvements avec une charge de 15 à 20 kilos, une traction en 3 secondes. Puis 3 séries de 5 à 8 mouvements avec une charge de 20 à 30 kilos, une traction en 4 secondes. Le temps de repos entre chaque série est d'au moins 20 à 30 secondes.

➡ 2. Le développé couché

Allongé sur le dos sur un banc horizontal de musculation,
une barre de charge bien tenue dans les mains écartées
de la largeur des épaules ❶. Tendez les bras au-
dessus de la poitrine en soufflant ❷. Pliez les bras et
laissez redescendre lentement et progressivement
la barre jusqu'au contact de la poitrine, inspirez. Puis
recommencez la poussée de la barre vers le haut, au-
dessus de la poitrine. Gardez un rythme dynamique.
Attention : repliez les jambes et posez les pieds à plat
sur le banc pour avoir le bas du dos bien à plat, avec
toujours un contrôle au niveau du ventre par serrage
des abdominaux afin d'éviter de trop creuser la région
lombaire.

❶

❷

Faites 3 séries de 12 à 15 mouvements avec une charge de 10 à 15 kilos, une traction (aller-retour) en 2 secondes. Puis 3 séries de 8 à 10 mouvements avec une charge de 15 à 20 kilos, une traction en 3 secondes. Puis 3 séries de 5 à 8 mouvements avec une charge de 20 à 30 kilos, une traction en 4 secondes. Le temps de repos entre chaque série est de 20 à 30 secondes.

(à la maison)

➥ 3. Le « nager à sec »

Debout, jambes légèrement écartées et bien stabilisées, un haltère de 2 à 3 kilos dans chaque main, réalisez tous les mouvements des différentes natations : brasse, crawl, papillon, dos crawlé, nage indienne.

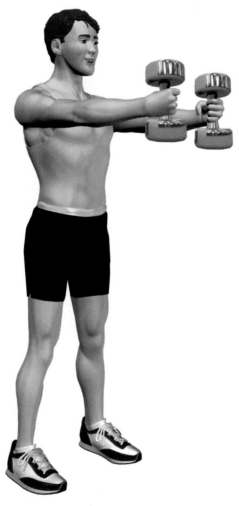

Travaillez dans l'alignement des épaules à l'horizontale, de 20 secondes à 1 minute pour chaque nage. Tous les muscles du haut du corps sont ainsi sollicités.

3 exercices pour les fessiers

➤ 1. Le balayage latéral

Allongé sur le côté, la jambe au sol repliée, l'autre tendue dans l'axe du corps, pied flex, c'est-à-dire pointe vers vous **❶**.

❶

Le conseil du coach

« Les fessiers sont les muscles propulseurs du corps, nécessaires pour nager, bondir ou monter les escaliers. Ce sont donc les muscles les plus forts. »

NO
FAT

Faites un mouvement d'ouverture et de fermeture des jambes avec des charges additionnelles de 2 à 3 kilos (bracelets à poids) aux chevilles ❷.

❷

Faites 3 à 5 séries de 15 à 20 allers-retours rapides, puis 3 à 5 séries de 15 allers-retours lents, puis 3 à 5 séries d'allers-retours alternés (rapide, lent, rapide), sans oublier de respirer à chaque fois à l'effort.

➡ 2. Coup de pied au ciel (grand fessier)

À 4 pattes, appuyé sur les avant-bras, dos incliné sans être rond ❶. Fléchissez une jambe à 90° en arrière ❷. L'exercice consiste à la ramener en avant par un mouvement de va-et-vient, sans la poser.

Les 2 premières semaines, faites 5 à 8 séries de 15 à 25 va-et-vient, répétez l'exercice pour l'autre jambe. À partir de la 3e semaine, ajoutez des lests à la cheville.

⇒ 3. Le squat

Pieds écartés de la largeur des épaules, fléchissez les
jambes en cherchant à descendre le plus en arrière
possible comme pour vous asseoir, dos bien droit,
puis remontez en poussant avec les jambes, les cuisses
et les fessiers. Pensez à respirer et à souffler pendant
l'effort. On peut corser le squat en le réalisant avec
des accessoires (bâton) ou des charges additionnelles
(haltères). Prudence si vous avez les articulations des
genoux fragiles.

Le conseil du coach

« La flexion des genoux, appelée aussi 'squat avant', est le mouvement roi des exercices de musculation.

Il fait travailler l'ensemble des muscles des fesses et des cuisses, mais aussi de nombreux muscles du reste du corps, dont les spinaux (muscles de la colonne vertébrale). »

MINCIR
ABSOLUMENT

et récupérer
de l'énergie
grâce
au sport

NO FAT

TÉMOIGNAGE

Marco, 39 ans

« Ça y est ! La bouée s'est installée, les poignées d'amour aussi, je suis en surpoids, je n'arrive pas à perdre mes kilos superflus. Pas le courage ni la volonté ! J'ai du mal à suivre un régime, j'aime manger, bien manger. Dès que je mange, je prends du poids. Je ne veux pas rester dans cet état, je me sens mal dans ma peau. Je me fatigue plus vite (même au lit). J'ai l'impression qu'il est trop tard pour commencer une activité sportive, n'ayant jamais fait de sport. Vais-je continuer à m'empâter, moi qui étais svelte à 25 ans ! Chez moi, je me suis installé une mini-salle de gym, je ne sais pas quoi y faire, le matériel dort dans un coin, inutilisé… »

TÉMOIGNAGE

Paul, 48 ans

« Je me suis acheté une balance, tous ces kilos accumulés au fil des années me font peur, même si ce n'est pas encore catastrophique. Si j'avais su, j'aurais fait attention à mon alimentation avant. Pourtant, je suis hyperactif, je n'arrête pas de bouger dans mon métier, les kilos s'installent quand même. Il est vrai que les occasions de trinquer, prendre des apéritifs et autres dîners d'affaires sont fréquentes au cours de la semaine. Le soir, en rentrant chez moi, je me vois mal prendre une tisane diététique ou utiliser une crème amincissante, ce n'est pas très viril ! On me conseille de faire des cures de thalasso, c'est plutôt réservé aux femmes, non ? »

NO
FAT

① Modifier son comportement et casser ses habitudes

Vous aussi, comme Paul et Marco, vous voulez vous débarrasser de ces kilos superflus accumulés au fil des ans à votre insu ou presque. Et c'est une piètre consolation pour vous de savoir que vous n'êtes pas seul dans ce cas : dans les pays occidentaux, 1 homme sur 6 est trop gros avant 30 ans et, entre 30 et 40 ans, le surpoids touche 1 homme sur 3 ! La faute au changement de mode de vie, à la sédentarité, à l'alimentation déséquilibrée, au manque d'activité physique, à l'âge…

Aujourd'hui, vous ne supportez plus les plis de votre abdomen qui retombe, cette taille épaisse, vous aimeriez tant retrouver un corps svelte et tonique ! Votre look est en jeu et votre santé aussi si vous laissez s'accumuler la graisse sans rien faire.

Mais si vous lisez ce guide, c'est que vous avez décidé de réagir énergiquement en modifiant vos habitudes alimentaires et votre comportement. Pour réussir, il faut être sacrément motivé, surtout pour les sédentaires ! Bravo, vous, vous l'êtes !

② Qu'est-ce qui vous motive ?

Avant d'entreprendre quoi que ce soit, calculez votre indice de masse corporelle (IMC) pour savoir où vous en êtes de votre poids. Suivant le résultat obtenu, si vous avez besoin de perdre quelques maudits kilos, nous vous conseillons de chercher vos vraies motivations et de vous fixer des objectifs précis, réalistes par rapport à vos capacités. Sinon, vous n'y parviendrez pas.

✓ Posez-vous les bonnes questions

Répondez avec franchise, voulez-vous mincir absolument :

- pour des raisons de santé ?
- pour améliorer votre forme ?
- pour avoir un corps plus beau dont vous serez fier ?
- parce que, narcissique, vous voulez un corps qui vous plaise avant tout pour être bien dans votre peau ?
- pour développer votre masse musculaire ?
- pour stabiliser votre poids ?
- parce que vous avez décidé d'arrêter de fumer ?
- parce que vous voulez plaire ?
- parce que vous en avez marre d'entendre « Qu'est-ce qu'il est gros, maintenant ! » ?
- parce qu'il n'est plus question de vous laisser aller comme ça ?
- parce que vous avez décidé de changer de look et d'humeur ?
- parce que vous voulez reprendre le sport ?…

L'avis du nutritionniste

« Chez l'homme, lorsqu'il grossit, c'est dans la partie supérieure de son corps que la graisse s'incruste, avec une prédilection pour la sangle abdominale. Les poignées d'amour, la bouée sont inévitables avec la prise de poids. L'homme vieillissant va avoir un peu plus de gras, parce qu'il va baisser sa masse musculaire, et l'homme jeune ne sera pas épargné, tout dépend de la vie qu'il mène. Sauter des repas, ne pas faire de vrais repas, arrêter le sport, arrêter de fumer, tout cela conduit à des déséquilibres alimentaires chez l'homme jeune. Quand on arrête de fumer, par exemple, il y a diminution de la dépense énergétique (entre 5 et 15 % selon les individus) et, obligatoirement, on va prendre du poids, même si on mange la même chose ! »

Calculez votre indice de masse corporelle

Un poids stable est généralement indicateur de bonne forme. Pour déterminer si le vôtre est raisonnable, calculez votre indice de masse corporelle (IMC) en divisant votre poids par votre taille au carré.

Exemple : vous pesez 75 kilos pour 1,80 mètre.

$$75 : 1,80^2 = 23,15$$

Votre IMC est donc de 23,15.

Lorsque l'IMC est :

- inférieur à 20, il indique la maigreur ;
- compris entre 20 et 25, il indique un poids raisonnable ;
- compris entre 25 et 30, il indique un surpoids ;
- supérieur à 30, il indique une obésité.

Cet indice ne donne pas un poids idéal, mais une zone de normalité.

Cette méthode est fiable pour les adultes de 20 à 65 ans, mais elle ne peut être utilisée telle quelle pour les athlètes d'endurance ou les personnes très musclées.

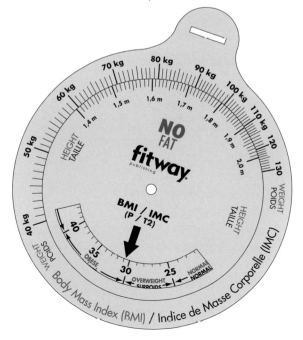

Il faut faire la différence entre avoir faim et avoir envie de manger.

L'avis du nutritionniste

« Ce sont deux sensations différentes : quand on a envie de manger, on a envie de quelque chose pour se faire du bien, état qui traduit parfois un manque affectif, un besoin de câlins…, alors que la faim, "il faut la nourrir". La faim, ça se passe dans l'estomac, l'envie de manger c'est dans la tête, d'où l'importance de l'activité physique pour compenser et détourner cette envie irrésistible. Le sport agit parfois comme un régulateur de l'appétit. »

Faites ensuite votre propre analyse pour détecter vos points forts et vos faiblesses. Puis établissez un programme cohérent et réaliste par rapport à vos aptitudes, vos envies, vos objectifs. Pour maigrir, l'activité physique a tout son intérêt quand elle est liée à un comportement alimentaire et un suivi diététique. Nous ne vous donnerons pas ici de régimes diététiques à suivre ou de menus minceur spectaculaires. Chaque cas étant particulier, mieux vaut consulter un spécialiste de la nutrition qui vous aidera à comprendre les raisons de votre surcharge pondérale et à trouver des solutions personnelles et adaptées.

En revanche, comme il est difficile de maintenir son poids de forme sans exercices physiques, notre coach vous présente son Training Energie® (une création Vital Team), un programme de mise en forme facile pour commencer en douceur à faire travailler votre corps et à casser vos habitudes de sédentaire.

③ Le Training Energie® de Vital Team

8 exercices faciles à faire chez soi le matin, au réveil, pour retrouver souplesse et tonus, ou le soir pour se dégager des tensions de la journée. Un « dérouillage » quotidien pour ceux qui n'ont jamais rien fait, une gym de réveil ou d'échauffement pour déraidir les 3 grandes chaînes musculaires : ceinture des épaules et des bras, ceinture du bassin et genoux.

Les 8 exercices que notre coach a conçus sont des exercices de santé qui améliorent l'état fonctionnel du corps et le préparent à l'effort. Chacun traite un niveau de mobilité : chevilles, genoux, hanches, dos, épaules, bras, nuque. En les pratiquant tous les matins ou à chaque fois que vous en éprouvez le besoin, vous donnez un élan nouveau à vos journées. Il suffit d'une minute par exercice !

Le conseil du coach

« Comme un musicien fait ses gammes, pratiquez régulièrement ces exercices. Ces quelques minutes quotidiennes vous permettront d'acquérir dans le temps une bonne condition physique pour mobiliser, assouplir et faire circuler. Si vous associez à cette nouvelle 'routine' plus de 10 minutes de marche active pour aller au travail, au bout de 3 mois vous observerez une amélioration de votre vitalité. Ce programme est un bon démarrage pour passer à des activités d'endurance comme le jogging ou le vélo, ou à des exercices de musculation plus pointus qu'il faut pratiquer lorsqu'on se sent prêt et dans son corps et dans sa tête. »

Démarrez du bon pied !

Chaque exercice est à base de respiration, d'étirements, d'assouplissements, d'attitudes et de placements.

➡ 1. Le debout de base

NO
FAT

Pieds parallèles et écartés, genoux légèrement pliés, fesses serrées, épaules relâchées, bras ballants, mâchoire décontractée, poids du corps légèrement en avant.

Intérêt selon le coach

« Cette posture augmente le travail musculaire des cuisses et diminue les contraintes articulaires, notamment de la colonne vertébrale. C'est une position de confort qui permet la libre circulation énergétique. »

➡ **2. La ronde du bassin**

Debout, pieds parallèles, jambes tendues, mains posées sur les hanches, épaules bien relâchées, regard droit. Dessinez des cercles avec les hanches et le bassin en tournant dans un sens puis dans l'autre, sans bouger la tête ni les pieds et en respirant calmement.

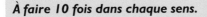

À faire 10 fois dans chaque sens.

Intérêt selon le coach
« Dynamisation du centre de gravité du corps, assouplissement de la région lombaire. Cet exercice procure également un effet antispasmodique au niveau de l'abdomen et une détente de la région viscérale. »

➡ 3. Le jeu d'épaules

Épaules relâchées, posez les doigts dans les gouttières claviculaires (de chaque côté du cou) et joignez les coudes devant vous.

Puis écartez-les en dessinant des cercles, qui doivent être les plus larges et les plus ronds possible sans que les mains quittent les épaules.

Travaillez avec un maximum d'amplitude, 10 à 12 fois dans chaque sens.

Intérêt selon le coach

« Cet exercice contribue à assouplir les épaules et la région dorsale. Il favorise également l'ouverture thoracique et améliore la circulation des carrefours axillaires (région des aisselles). »

➡ 4. Ouvrez la cage

À partir de la position debout de base, avec une légère inclinaison du tronc, les coudes sont fléchis et les mains sur les épaules ❶.

Intérêt selon le coach

« Cet exercice assouplit le dos dans son ensemble par l'ouverture des côtes, tonifie les bras et étire les muscles de la taille (abdominaux) et les muscles intercostaux. »

Faites 2 fois 10 mouvements.

Allongez un bras au-dessus de la tête (sans le coller à l'oreille), la paume de la main ouverte vers le haut, poignets « cassés » ❷. Gardez cette position 2 ou 3 secondes, revenez à la position de départ et réalisez la même ouverture avec l'autre bras. Expirez sur l'étirement et revenez en inspirant naturellement.

➟ 5. Le pont mobile

❶

Pieds écartés, genoux fléchis, mains posées dessus, épaules et cou relâchés, dos incliné vers l'avant mais droit, regard porté au sol à 1 mètre devant vous ❶.

Intérêt selon le coach
« Assouplissement des hanches et des genoux.

Étirement des muscles abducteurs à l'intérieur des cuisses. Cet exercice réalise un pompage au niveau du pli de l'aine et du creux poplité. Il améliore votre stabilité. »

NO
FAT

Déplacez alternativement le poids du corps sur chaque jambe (❷ et ❸) et étirez la jambe opposée qui ne doit pas supporter le poids du corps.

❷

❸

20 fois de chaque côté sur un rythme dynamique et modéré en soufflant pendant l'extension de la jambe.

➥ 6. Le ventilateur

Debout, pieds largement écartés, genoux fléchis à 15-20°, dos droit, épaules bien relâchées, tête droite. Réalisez des demi-cercles avec lancée des bras qui vont

Intérêt selon le coach

« Ce mouvement de torsion provoque un véritable 'essorage' de la taille et de l'abdomen, et réalise un renforcement énergétique des lombaires. Parce que les bras sont ballants pendant toute la dynamique de cet exercice, il décontracte les épaules, les poignets et les doigts. Un excellent amplificateur respiratoire. »

s'écarter du corps pendant le mouvement de rotation, le bassin bien tenu et fixe.

Faites 2 fois 10 mouvements en soufflant avec énergie à chaque fin de demi-cercle.

➡ 7. Fermez et ouvrez les guillemets

Debout, dos arrondi, les mains sur les genoux largement écartés, regard porté sur les pieds, nuque et épaules bien relâchées ❶.

Rapprochez ❷ puis éloignez les genoux l'un de l'autre, sans bouger les pieds. Faites des mouvements de peu d'amplitude si vos genoux sont fragiles, vous gagnerez du terrain plus tard.

À faire 10 fois.

Intérêt selon le coach

« Ce mouvement renforce
vos chevilles, vos genoux et
vos hanches. Il dynamise
la circulation dans vos
membres inférieurs et
décongestionne votre
bas-ventre. »

❷

➡ **8. Mettez-vous d'équerre**

Pieds écartés de la largeur du bassin, jambes tendues, dos droit, mains jointes à la hauteur de la poitrine ❶. Reculez vos fesses loin en arrière de la ligne des talons, la ligne de votre dos et de vos yeux s'inclinant automatiquement. Étirez vos bras loin devant dans le

Intérêt selon le coach

« Ce mouvement tonifie et assouplit votre colonne vertébrale, l'axe d'énergie principale. Cet étirement actif, mobilisateur d'énergie, apporte détente et sérénité pendant la phase de remontée très lente, les yeux fermés. »

prolongement des oreilles ❷. Puis lâchez cette posture et remontez lentement votre dos, en décontractant vos genoux par une légère flexion en même temps que vos bras se relâchent. Marquez bien l'étirement, les bras tendus en avant, en soufflant quelques secondes.

À faire 3 à 5 fois.

NO
FAT

Ce sera gagné lorsque vous vous direz : « Qu'est-ce que je me sens bien ! » et que votre corps réclamera cette gymnastique comme s'il était en manque. En optant pour des activités physiques qui vont remodeler votre corps, vous allez retrouver de l'énergie en combinant efficacité et plaisir. Le plus difficile est de s'y mettre, car le corps n'est pas demandeur pour faire de l'exercice. Il n'est jamais trop tard pour commencer, quels que soient votre âge et votre silhouette.

L'avis du coach

« J'ai vu arriver des 'planqués de la gym', des 'raides de raides', comme je les nomme avec humour. Hommes d'affaires, banquiers, intellectuels aux doigts fins qui n'avaient jamais chaussé une paire de baskets. Ils découvrent tout ce qu'ils ont raté lorsque, 'planqués derrière leur costume-cravate', ils regardaient comme des extraterrestres ceux qui faisaient de la gym ! On les bouge, on réactive leur corps qui ne comprend rien au début, car quand on n'a jamais rien fait, c'est la raideur qui prédomine plus que la faiblesse et un ventre où se sont accumulées les graisses ! Ils apprécient les bienfaits de l'effort, du dépassement de soi dans le physique, eux qui ne relevaient que des défis intellectuels. »

④ Essayez l'endurance

Le corps est comme une voiture : le moteur c'est le cœur, l'essence correspond au sang et à l'oxygène, les roues sont les muscles, et le volant est le cerveau. Une mécanique complexe que vous devez entretenir pour la préserver le plus longtemps possible. Grâce au Training Energie®, vous venez de passer une première étape, vous pouvez maintenant vous essayer aux activités d'endurance. **Soyez réaliste, inutile de viser un programme d'athlète, l'important est la régularité.**

✓ Le jogging

Comment faire pour se lancer ?

Parmi les activités d'endurance, vous avez le choix entre la marche, le jogging, le vélo, la natation, le cardiotraining, mais aussi le ski de fond, l'aviron… Chacune de ces activités a ses avantages et ses inconvénients mais, quel que soit votre choix, il est conseillé de la pratiquer 2 fois par semaine pour obtenir des effets significatifs sur votre état de santé. Comme le jogging est de loin la pratique la moins contraignante et la plus efficace, notre coach vous a concocté un programme pour vous lancer sur 3 mois, à raison de 2 séances par semaine.

Un programme sur 3 mois, en 2 séances hebdomadaires

Il n'y a pas d'interdit dans ce programme, seulement des précautions à prendre pour débuter, dont un bilan de santé (selon votre âge) et de bonnes chaussures. Il est également recommandé de porter avec soi un cardio-fréquence-mètre pour connaître en permanence la valeur de votre pouls. (Rappel : valeur maximum du pouls : 220 – votre âge.)

Objectif du 1er mois : courir 20 minutes non-stop

Pour commencer, courez 4 fois 5 minutes en récupérant par de la marche active entre chaque phase de course.
Exemple :
• Marchez 5 minutes pour vous échauffer.

• Courez 5 minutes. Si vous êtes en surchauffe après la première séquence de course, avec un pouls supérieur à votre fréquence cardiaque maximum, réduisez votre durée d'effort à 3 minutes.

NO
FAT

• Marchez et prenez votre pouls toutes les minutes jusqu'à atteindre la valeur de 110 à 120 pulsations par minute. Si votre pouls est redescendu à cette valeur en 3 minutes, vos séquences de récupération dureront 3 minutes.

• Courez 5 minutes, marchez 3 minutes, courez 5 minutes, marchez 3 minutes, courez 5 minutes.

• Marchez quelques mètres et faites des étirements.

Au cours des séances suivantes, vous réduirez le temps de récupération à 1 minute.
Vous pourrez vous lancer ensuite sur 2 fois 10 minutes de course, en réduisant progressivement la récupération à 1 minute. Vous pourrez alors vous lancer sur 20 minutes de course non-stop.

Attention ! Le jogging pratiqué sans précaution peut engendrer des blessures sur les tendons, les muscles et les articulations. Il faut donc apprendre à faire soi-même le bilan des zones sensibles qui pourraient se révéler pendant ou après l'effort. Si tel est le cas, arrêtez aussitôt votre entraînement. Une gêne ou une douleur qui ne passe pas spontanément en 3 ou 4 jours doit vous conduire à consulter un spécialiste.

Objectif du 2ᵉ mois : courir 30 minutes non-stop

Pour commencer, courez 3 fois 10 minutes en récupérant par de la marche active entre chaque phase de course.

Exemple :
• Marchez 5 minutes pour vous échauffer, puis courez 10 minutes.
• Marchez 3 minutes.

- Courez 10 minutes.
- Marchez 3 minutes.
- Courez 10 minutes.
- Marchez quelques mètres et faites des étirements.

Au cours des séances suivantes, vous réduirez progressivement le temps de récupération à 1 minute, puis vous pourrez vous lancer sur 30 minutes de course non-stop.

NO FAT

Objectif du 3ᵉ mois : courir 40 minutes non-stop

Pour commencer, courez 2 fois 20 minutes en récupérant par de la marche active entre chaque phase de course.

Exemple :
• Marchez 5 minutes pour vous échauffer, puis courez 20 minutes.

- Marchez 5 minutes.
- Courez 20 minutes.
- Marchez quelques mètres et faites des étirements.

Au cours des séances suivantes, vous réduirez progressivement le temps de récupération à 1 minute, puis vous pourrez vous lancer sur 40 minutes de course non-stop.

Objectif à long terme : courir 10 à 15 km, 2 fois par semaine

L'entraînement des mois suivants aura pour but de consolider les acquis, de façon à atteindre progressivement 1 heure à 1 heure 15 de course non-stop, pour une distance de 10 à 15 km.

Pari gagné : vous aurez atteint une dépense énergétique suffisante pour ne plus subir la sédentarité, stabiliser votre poids et tout simplement votre plaisir.

L'avis du coach

« L'endurance est un paramètre qui se développe bien pour la tranche des 40-55 ans. La vitesse est plus difficile à gagner pour eux ; la souplesse perdue se récupère, car un muscle qui travaille retrouve de l'élasticité, idem pour la force. Souvent, quand les plus de 40 ans se mettent au jogging, un monde nouveau s'ouvre à eux avec la satisfaction de griller les plus jeunes ! On l'ignore souvent, mais plus on vieillit, meilleur on est en endurance ! »

TÉMOIGNAGE

Patrick, 48 ans, pratiquant conquis

« Comme j'ai tout le temps des problèmes de poids, je fais régulièrement du sport, à raison de 2 heures de jogging et 2 ou 3 séances de gym en salle par semaine. Parallèlement, je fais attention à ce que je mange et j'ai pour principe de sortir de table en ayant toujours faim. Mes menus types : le matin, thé, pomme, pain sec et fromage ; le midi, sandwich crudités ; le soir, crudités et grillade. Je fais une entorse le week-end avec 2 whiskies pur malt, mais jamais d'alcool en semaine, ni de beurre, ni de sucre dans le café ! On pourrait penser que c'est ennuyeux, eh bien non, il suffit de se créer une routine et de ne pas en sortir, comme ça on n'y pense plus ! Je voyage beaucoup, et les vrais pièges à l'étranger pour le voyageur, ce sont les salons d'attente VIP lounge des compagnies aériennes – celui de Madrid est redoutable, tout comme celui de Londres. Dans la vie d'un homme d'affaires, les entorses à la bonne hygiène alimentaire peuvent être nombreuses.

Quelques suggestions pour s'empêcher de faire des bêtises question diététique : en avion, faire attention à ne pas prendre la coupe de champagne ni le plateau collation à n'importe quelle heure ; à l'hôtel, ne pas se ruer sur le mini-bar pour faire passer son ennui ; pendant un séminaire, éviter de grignoter des biscuits à chaque pause.

En revanche, grâce à mon entraînement, j'apprécie de faire un jogging à Madrid ou à Manhattan, et de laisser les petits jeunes loin derrière moi… »

✓ Le vélo d'appartement ou de salle

Le conseil du coach

« Le vélo en salle ou chez soi (accessible tout le temps) est idéal pour travailler son endurance, muscler ses jambes et son cœur, améliorer son souffle et assouplir genoux et hanches. Il permet de supporter le corps sans contrainte de poids, mais l'effort à fournir n'est pas pour autant facilité. »

Position et réglage

Pour que le pédalage soit confortable, réglez la selle au niveau de la hanche. Évitez d'aller chercher la pédale trop bas (risque de déhanchement). Mains sur le guidon, gardez le dos droit. De temps en temps, pour soulager le dos, appuyez-vous en avant sur le guidon, dos rond. Le pédalage doit être souple, fluide et tonique. Branchez le cardio-fréquence-mètre à votre poignet, ce qui vous permettra de visualiser votre pulsation cardiaque et d'atteindre votre rythme de croisière et d'endurance. Pour connaître vos limites, ralentissez quand la zone rouge est franchie.

Entraînement et fréquence

Si vous recherchez une stimulation et un entretien,
pédalez 15 minutes tous les matins ou, si vous préférez,
20 à 30 minutes 3 fois par semaine, le 1er mois.
Ensuite, passez à des séances de 40 minutes,
50 minutes, 1 heure, au moins 2 fois par semaine.
Si vous cherchez à développer vos conditions physiques
cardiaques et respiratoires, passez à des séances de
45 minutes, 1 heure, 2 ou 3 fois par semaine.

Vous pourrez accroître votre effort et augmenter votre
temps de travail ainsi que la résistance et le rythme du
pédalage en choisissant un programme préétabli sur
l'appareil qui vous fera alterner terrain plat et côtes, ou en
effectuant vous-même les réglages. Le matériel actuel,
très performant, permet de traverser virtuellement le
monde entier, avec des montées, des descentes et des
plaines. Le cadran indiquant la distance et le temps est
très utile, mais le cadran calories ne sert à rien.

Exemple sur une séance de 30 minutes : démarrez par 10 minutes tranquilles, puis passez à la puissance supérieure pendant 15 à 20 minutes, pour terminer par 10 minutes de récupération. Chaque semaine, ajoutez 5 à 10 minutes de plus sur votre temps d'entraînement qui dépend de votre rythme de pédalage.

L'*interval training,* ou « travail fractionné », consiste à alterner des séquences d'accélération de 3, 5 ou 10 minutes, avec des temps de récupération active de 3 à 15 minutes pour améliorer son endurance et développer son adaptation cardiaque à l'effort.

Exemple :
10 minutes d'échauffement à 15 km/h
+ 10 minutes à 15 km/h
+ 3 minutes d'accélération à 40 km/h
+ 3 minutes de descente à 15-20 km/h
+ 5 à 30 minutes à 40 km/h
+ retour à 15 km/h
+ 1 à 2 minutes de pente à 50 km/h
+ 3 à 15 minutes de récupération active.

Prenez rendez-vous avec vous

Vous n'êtes pas obligé de modifier radicalement votre
mode de vie pour conjuguer hygiène alimentaire et activité
sportive. Cependant, si vous décidez de faire régulièrement
une activité physique, ce sera plus facile **en programmant
vos exercices** et en les variant (pour éviter la monotonie),
en associant vos proches, en suivant vos progrès en
durée, en distance parcourue, en rythme cardiaque, en
essoufflement… Rigueur et autodiscipline ne sont pas
simples à acquérir, nous vous conseillons de planifier vos
séances comme des **rendez-vous plaisir et bien-être
avec vous-même.** Imaginez 2 petits points sur votre
agenda à consacrer à votre corps, ce sont 2 gouttes d'eau,
finalement, qui se baladent sur votre semaine. Ce n'est
rien ! Mais il faut vous y tenir pour permettre à votre corps
d'être en demande et au processus de s'enclencher. Un
coach peut vous aider à aménager un plan de travail selon
votre mode de fonctionnement et votre emploi du temps.
Seul, en cours collectif ou individuel, vous avez le choix.
**Ne vous imposez pas non plus une discipline trop
stricte, lâchez les brides de temps en temps,** accordez-
vous certains excès, sinon ce serait trop dur. Sachez que
les sportifs de haut niveau craquent eux aussi…
Pendant les vacances, vous pourrez faire autre chose.
Vous faire plaisir en pratiquant un sport inhabituel pour
vous (surf, équitation, planche à voile…), parce que vous
serez en bonne condition physique acquise patiemment le
reste de l'année grâce à cet entraînement hebdomadaire.

NO
FAT

APRÈS L'EFFORT, LE RECONFORT…

NO
FAT

Entretenir son corps, c'est aussi lui faire du bien après le sport, après l'effort. Les produits cosmétiques, les cures de thalassothérapie ou de remise en forme ne sont pas réservés aux femmes. Vous ne perdrez pas votre virilité en vous massant ou en vous faisant masser avec des huiles essentielles, en vous enduisant de lait hydratant et raffermissant ou en barbotant dans un bain d'algues bouillonnant. Pour vous chouchouter, essayez les soins spécifiques pour hommes que nous avons sélectionnés pour vous.

Le conseil du coach

« La peau est le plus grand nerf du corps. Quand on l'affûte, la dégage, la masse, la peau respire et, *quand elle respire, le bien-être se ressent partout. C'est bon de se sentir régénéré, décapé, propre !* »

Découvrez les soins corporels pour hommes

Adidas : lignes *Active skincare for men* et *Sport fever.*

Biotherm Hommes, le pionnier des soins du corps pour hommes, parmi lesquels *Abdosculpt*, gel raffermissant à la caféine, et *Cool Body*, gel hydratant raffermissant.

Caudalie (www.caudalie.com), une gamme de produits de soin pour hommes et femmes, unique au monde, issue de la vigne (polyphénols de raisin anti-oxydants). Ligne de soins secs ou humides, pour masser, hydrater, protéger…

Clinique (www.clinique.com) et son programme « Formule S.O.S. », avec notamment un spray traitant pour le corps, *Anti-blemish Solutions*, qui prévient et combat rougeurs et boutons sur le dos.

L'Occitane (www.loccitane.com)et sa ligne *Cade*, une gamme complète de soins pour hommes à base d'huile essentielle de cade, avec des points de vente internationaux.

Nickel (www.nickel.fr), marque et ligne de soins créée par un homme pour les hommes. Dernier produit en date au nom évocateur : *Poignées d'amour*, raffermissant localisé aux enzymes végétaux pour lutter contre les bourrelets et le relâchement.

Zirh (www.zirh.com), une ligne complète de cosmétiques pour hommes, marque américaine appartenant au groupe Shiseido.

Découvrez
la thalassothérapie

La thalassothérapie est l'utilisation combinée, sous surveillance médicale et dans un but préventif et curatif, des bienfaits du milieu marin. Elle n'est pas réservée aux femmes, les sportifs de haut niveau y suivent régulièrement des cures de remise en forme. Faites comme eux, profitez des bienfaits de l'eau de mer. Pour bien choisir votre thalasso, consultez le site de la Fédération internationale de thalassothérapie : www.thalassofederation.com Voici quelques centres et les cures spécifiques que nous vous recommandons.

Centres Athénée Thalasso
et Ulysse Thalasso de Djerba (Tunisie) www.utic.com.tn
« Drainage » : cure spécifique pour une meilleure élimination des toxines.
« Starter Minceur » : cure de motivation pour un départ minceur efficace.
« Elle & Lui » : cures à faire en couple, à chacun son programme.

Centre Hélianthal de Saint-Jean-de-Luz (France)
www.helianthal.fr
Au Pays basque, face à l'océan Atlantique, vous pouvez vous diriger sur la cure spécifique « Cap minceur », pour apprendre à bien vous nourrir, avec notamment des cours de cuisine « saveurs-minceur » associés aux soins marins pour tonifier et raffermir. La prise en charge est globale, avec, de retour chez vous, un suivi diététique par mail pour répondre à vos interrogations.

Accor Thalassa www.accorthalassa.com
Une palette de soins spécifiques pour les hommes dans les différents centres du groupe à travers le monde, et 3 programmes : « Masculin tonic », « Remise en forme », « Au masculin ».

NO
FAT

Internet et nutrition

Pour plus d'informations nutritionnelles, quelques sites à
consulter.
• **www.gros.org**, site du Groupe de réflexion sur
l'obésité et le surpoids.
• **www.ifn.asso.fr**, site de l'Institut français pour la
nutrition.
• **www.cerin.org**, site du Centre de recherche et
d'information nutritionnelle.
• **www.dietecom.com**, site du Congrès international de
nutrition.
• **www.pulpeclub.com**, un site canadien et un magazine
en ligne 100 % rondeurs.
• **www.aprifel.com**, site de l'agence Fruits
et légumes frais pour la santé, données scientifiques
et nutritionnelles.
• **www.lediet.fr**, site de la clinique du poids.